Sblish Sblash Sblosh!

Mick Manning
a
Brita Granström

addasiad
Elin Meek

GOMER

Sblish, Sblash, Sblosh!

Mae'r tonnau'n taro'r traeth.
Maen nhw'n rhuthro i'r lan ac yna'n llithro'n ôl.
Tybed o ble maen nhw'n dod ac i ble maen
nhw'n mynd?

Y gwyntoedd a'r llanw sy'n gwneud i donnau ddod.

Sblish, Sblash, Sblosh!

Mae'r tonnau'n dawnsio ger y lan –
gan daro gwaelod cychod a llongau – slop!
gan fwrw wal yr harbwr a'r lanfa – slap!

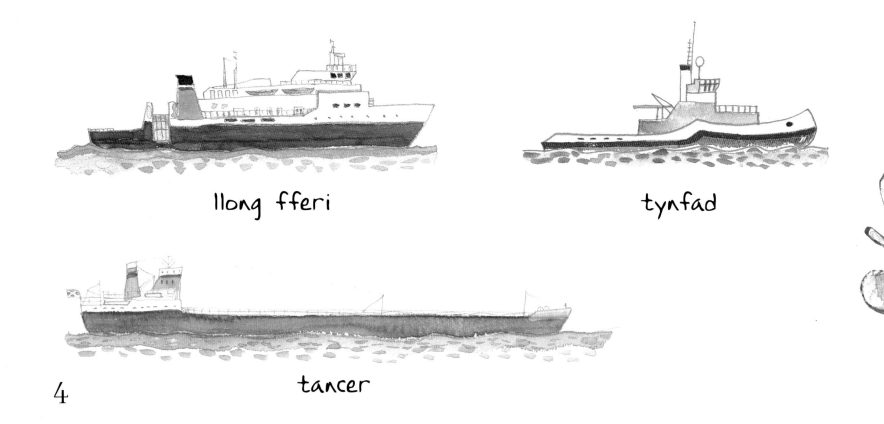

llong fferi

tynfad

tancer

6

Sblish, Sblash, Sblosh!

Draw'n bell yn y môr, lle mae'r dŵr yn ddwfn, mae dŵr y môr yn golchi cefn y dolffin a dannedd miniog y siarc… ac yn llithro i mewn ac allan o'r llongddrylliad a'r riffiau cwrel lliwgar.

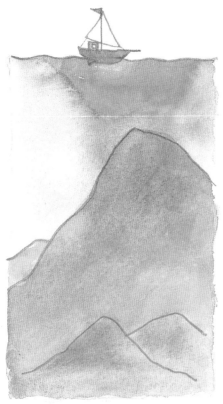

Mae'r môr yn ddwfn iawn, iawn mewn mannau ac mae mynyddoedd enfawr o'r golwg o dan y wyneb.

Mae'r octopws enfawr a sawl creadur arall yn byw yn y dŵr dwfn.

7

Sblish, Sblash, Sblosh!

Pan fydd hi'n braf a thwym, mae'r haul yn sugno diferion bach o ddŵr i'r awyr. Mae cymylau'n ffurfio ac yn crwydro uwchlaw'r tonnau swnllyd. Mae awel y môr yn eu chwythu'n bell, bell – fry yn yr awyr maen nhw'n hwylio fel llongau i'r tir.

Mae diferion bach o ddŵr yn ffurfio cymylau.

Weithiau mae brogaod a physgod bach, hyd yn oed, yn cael eu sugno fry i'r cymylau ac yn disgyn gyda'r glaw yn rhywle arall!

Sblish, Sblash, Sblosh!

Mae cymylau llawn dŵr yn casglu dros y tir ac yn troelli'n storm. Mae diferion o law yn tasgu o'r cymylau ac yn disgyn i'r ddaear.

Mae storm o law o'r enw monsŵn yn taro mewn rhai gwledydd. Weithiau mae'r monsŵn yn dinistrio adeiladau ac yn boddi trefi.

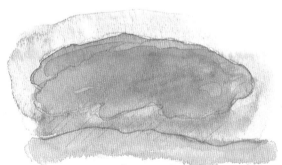

Gwahanol fathau o gymylau...

cymylau diwrnod braf

cymylau glaw taranau

cymylau diwrnod diflas

11

Sblish, Sblash, Sblosh!

Mae dŵr glaw yn diferu o'r bryniau...
yn llenwi pyllau...yn llifo'n wyllt
ac yn fwd i gyd i'r nentydd.

Rhaid i bopeth byw gael dŵr!

Sblish, Sblash, Sblosh!

Mae'r nentydd yn rhuthro'n bendramwnwgl i'r rhaeadr, sy'n arllwys i'r afon sy'n chwyddo a chwyddo… nes llenwi cronfa ddŵr.

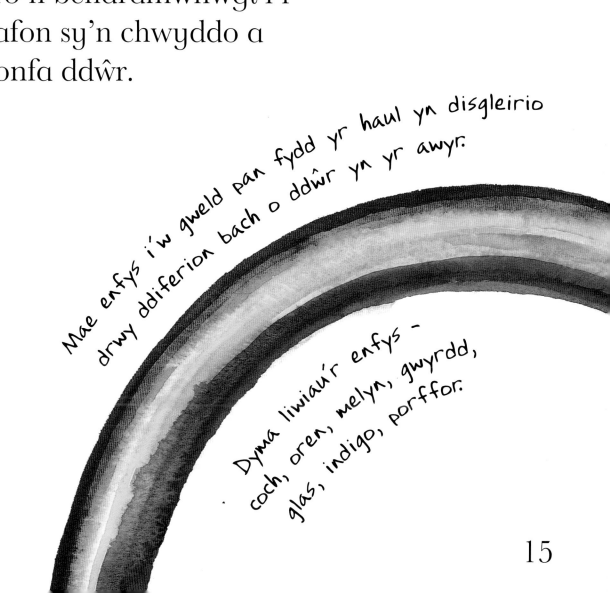

Mae enfys i'w gweld pan fydd yr haul yn disgleirio drwy ddiferion bach o ddŵr yn yr awyr.

Dyma liwiau'r enfys – coch, oren, melyn, gwyrdd, glas, indigo, porffor.

Sblish, Sblash, Sblosh!

Yn y gronfa, mae'r dŵr mwdlyd yn troi'n ddŵr croyw. Mae pysgod yn byw yn y gronfa. Maen nhw'n nofio o gwmpas pibell sy'n mynd â'r dŵr i hidlenni a thanciau glanhau.

Rhaid glanhau dŵr cyn y gallwn ni ei yfed...

Gallwn storio dŵr mewn cronfa neu ffynnon danddaearol.

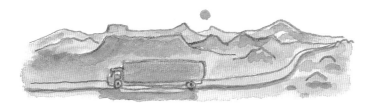

Os oes sychder mawr a dim digon o law, rhaid cael dŵr o danceri.

Sblish, Sblash, Sblosh!

Mae'r dŵr yn teithio am filltiroedd lawer – o dan gaeau, bryniau, ffyrdd a thraffyrdd i gronfa danddaearol. Yna, mae'n llifo i'r brif bibell sy'n mynd â dŵr i drefi, pentrefi, ffatrïoedd, gwestai a chartrefi... ac i dy gartref di!

Mae dŵr yn ddefnyddiol iawn; rydyn ni'n ei yfed, yn ei dwymo i gynhesu ein cartrefi, ac yn ei ddefnyddio i ymolchi a golchi, dyfrhau planhigion a gwacáu'r tŷ bach.

cronfa ddŵr danddaearol – i storio'r dŵr

tanciau arbennig sy'n rhwystro darnau mawr o faw

haen hidlo sy'n rhwystro'r baw i gyd

mae ychwanegu clorin yn lladd germau

prif bibell ddŵr

Tro pedol ←

Mae tro pedol yn rhwystro dŵr brwnt rhag teithio'n ôl i fyny'r bibell ac yn cadw aroglau ych-a-fi a germau draw.

Sblish, Sblash, Sblosh!

Rwyt ti'n ymolchi.
Mae dŵr glân yn tasgu o'r tap neu o'r gawod. Yna, mae dŵr llawn sebon yn llithro drwy dwll y plwg, drwy bibell blastig ac i lawr i'r draen.

Mae llygod mawr yn byw mewn pibellau carthion.
Maen nhw'n cario clefydau cas, felly rhaid talu rhywun i'w dal nhw.

Sblish, Sblash, Sblosh!

O dan y stryd, mae dŵr y bath yn cymysgu â dŵr
gwastraff arall – dŵr o'r sinc a dŵr o'r tŷ bach.

Weithiau bydd pobl yn diflasu ar anifeiliaid anwes ac yn eu taflu i lawr y tŷ bach! Gwelwyd pysgod trofannol ac ambell aligator, hyd yn oed, yn y pibellau carthion!

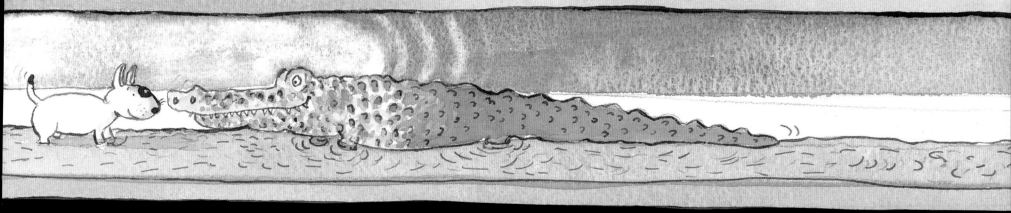

Mae'n llifo ar hyd twnelau carthion enfawr
ac yn troi'n drwchus a slwtshlyd.

Sblish, Sblash, Sblosh!

Mae dŵr gwastraff yn llifo i'r gwaith trin carthion.
Mae'n gwthio drwy'r gograu, yn sleifio drwy'r sgriniau, yn gwasgu drwy'r hidlenni ac yn byrlymu drwy'r chwythwyr.
Mae'r dŵr yn gadael y slwtsh ar ei ôl ac yn gadael y gwaith trwy bibell. I ble mae'n mynd? Mae'n llifo'n ôl i'r…

Mae'r dŵr yn llifo drwy danciau arbennig i'w lanhau.

Môr!

Sblish, Sblash, Sblosh!

Map dŵr

Rhaid i ni gofio cadw dŵr yn lân – rhaid cael dŵr glân i gadw'n fyw!

yr haul

cymylau

coedwi

y môr

gwaith trin carthion

traeth

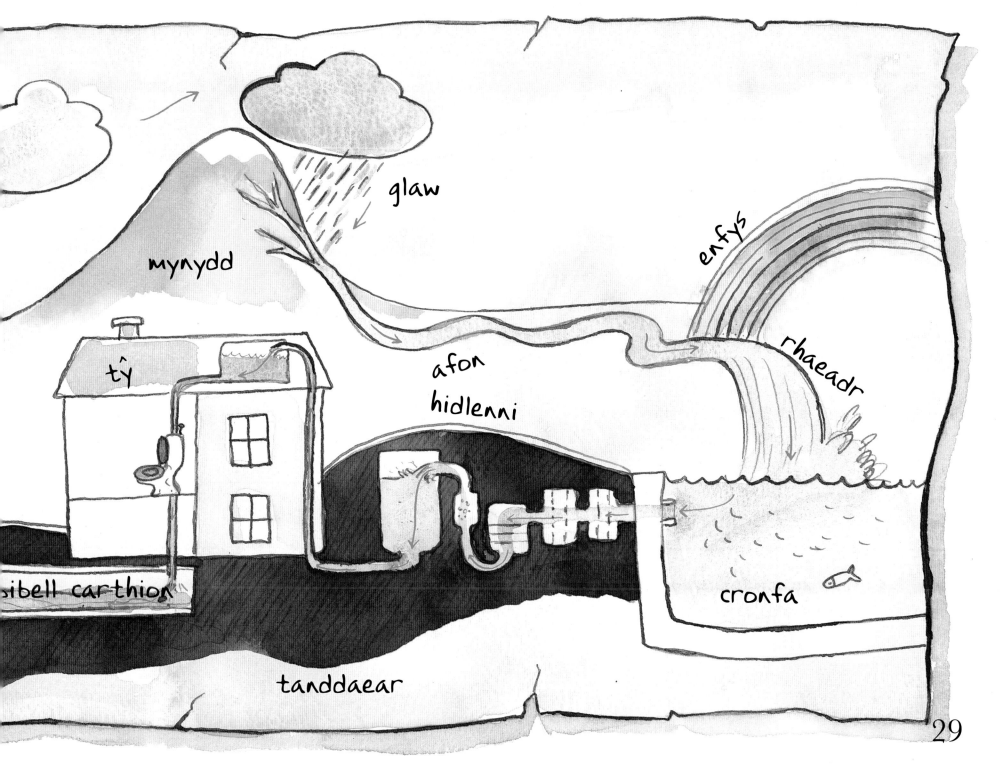

glaw

mynydd

enfys

rhaeadr

afon

hidlenni

tŷ

sibell carthion

cronfa

tanddaear

Geiriau defnyddiol

Aligator – anifail mawr fel crocodeil (tudalen 23) sy'n byw yn Unol Daleithiau America neu China.

Anweddu – dyna sy'n digwydd pan fydd diferion bach o ddŵr yn cael eu sugno i'r awyr ar ddiwrnod twym (tudalen 8), a hefyd diferion bach o ddŵr o ddail planhigion (tudalen 28).

Cronfa ddŵr – lle mae dŵr yn cael ei storio (tudalennau 14-17).

Carthion – y dŵr brwnt o doiledau a draeniau (tudalennau 22-25).

Clorin – mae'n cael ei ychwanegu at ddŵr i ladd germau (tudalen 18).

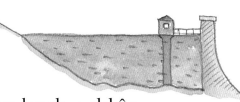

Cymylau – siapiau mawr gwyn neu lwyd wedi'u ffurfio o filiynau o ddiferion bach o ddŵr (tudalennau 9-11).

Grym dŵr – gallwn ddefnyddio grym dŵr sy'n llifo i droi olwyn neu droi peiriant i gynhyrchu trydan (tudalennau 14-15).

Gwaith trin carthion – lle mae dŵr carthion yn cael ei lanhau (tudalennau 24-25).

Harbwr a glanfa – mannau cysgodol lle mae cychod yn cael eu cadw (tudalen 4).

Hidlen – math o sgrin sy'n rhwystro baw ac sy'n gadael i ddŵr glân lifo trwyddi (tudalennau 18, 25, 28).

Llongau fferi – maen nhw'n cario pobl a cheir dros y môr (tudalen 4).

Llongddrylliad – llong sydd wedi suddo i wely'r môr (tudalen 7).

Monswn – storm law sy'n para am fisoedd mewn rhai gwledydd twym (tudalen 11).

Riffiau cwrel – anifeiliaid bach y môr sy'n ffurfio riffiau cwrel. Maen nhw'n tyfu cregyn caled ac yn byw gyda'i gilydd lle mae'r môr yn gynnes.

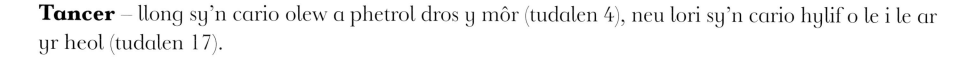

Tancer – llong sy'n cario olew a phetrol dros y môr (tudalen 4), neu lori sy'n cario hylif o le i le ar yr heol (tudalen 17).

Tro pedol – pibell o dan y sinc neu'r bath sy'n rhwystro germau ac aroglau rhag teithio'n ôl i fyny'r bibell drwy dwll y plwg (tudalen 20).

Tynfad – cwch sy'n tynnu cychod a llongau eraill (tudalen 4).

I Albin a Gabriel

Argraffiad Cymraeg cyntaf: 2001

Cyhoeddwyd gyntaf ym Mhrydain yn 1996 gan Franklin Watts,
96 Leonard St., Llundain EC2A 4RH

ⓗ Testun a'r lluniau © 1996 Mick Manning a Brita Granström
Teitl gwreiddiol: *Splish Splash Splosh!*

ⓗ Testun Cymraeg: Elin Meek ©

ISBN 1 84323 001 1

Cyhoeddwyd dan nawdd Cynllun Cyhoeddiadau Cyd-bwyllgor Addysg Cymru.

Mae Uned Iaith Genedlaethol Cymru yn rhan o WJEC CBAC Limited, elusen gofrestredig a chwmni a gyfyngir gan warant ac a reolir gan awdurdodau unedol Cymru.

CBAC

Argraffwyd yn Singapore